LES BIDOCHON EN VOYAGE ORGANISÉ

BINET

Adaptation graphique de Julien Grycan
© 1981 Éditions Audie / Fluide Glacial
© 1990 Éditions J'ai lu pour la présente édition

Binet
Les
Bidochon 6
en voyage organise

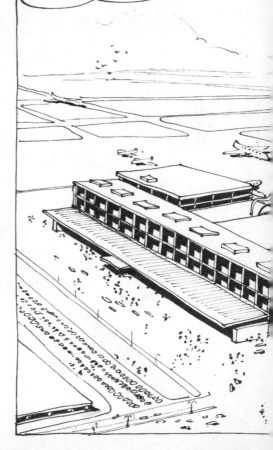

5

6

7

VOTRE ATTENTION,
S'IL VOUS PLAÎT!

MESDAMES ET MESSIEURS
LES GAGNANTS DU
CONCOURS "RAVIOLIS PATZANI"
SONT PRIÉS DE SE RENDRE
A L'ENTRÉE DE LA SALLE
D'EMBARQUEMENT Nº 12!

RAVIOLIS PATZANI, C'EST NOUS!!

HEIN?

10

POUR LE VOYAGE, VOUS ÊTES ARRIVÉ À QUELLE PLACE DU CLASSEMENT?

MOI, J'AI FAIT DEUXIÈME!

CINQUIÈME SUR CINQ!

C'EST LA QUESTION SUBSIDIAIRE QUI M'A FOUTU DEDANS! JE ME SUIS TROMPÉ D'UN GRAMME DANS LE POIDS DE BOEUF ENTRANT DANS LA COMPOSITION DE 400 KILO DE FARCE À RAVIOLIS!

AH, DÎTES DONC!! UNE PLACE DE PLUS ET C'ÉTAIT LE TÉLÉVISEUR COULEUR!!

PREMIER OU CINQUIÈME, L'ESSENTIEL C'EST DE FAIRE PARTIE DU VOYAGE!

SÛR!

C'EST LA PREMIÈRE FOIS QUE VOUS MONTEZ DANS UN AVION?

MA FEMME, OUI!

MAIS, MOI, NON!

A L'ÉCOLE PRIMAIRE, POUR LA FIN DE L'ANNÉE, NOTRE INSTITUTEUR NOUS A EMMENÉ VISITER UN AÉROPLANE!

13

15

14H: HEURE DU RENDEZ-VOUS SERA.

14H10: LES BAGAGES, SUR LE CADDIE, EMPILERONS.

14H15: AU GUICHET, LES BAGAGES ENREGISTRERONS.

14H25: DACTYLOGRAPHIÉS, LES FEUILLETS, DISTRIBUERONS.

14H26: LES FEUILLETS, LA PREMIÈRE PAGE, LIRONS.

14H28: DE LA PREMIÈRE PAGE, LA LECTURE ARRÊTERONS.

ETC... ETC... EST-CE QUE TOUT LE MONDE A COMPRIS LE SYSTÈME ?

oui oui oui oui oui oui oui oui oui oui

14H30!

QU'EST-CE QU'ON LIT À 14H30 ?

17

18

MAIS, LÀ, CE VOYAGE EN AFRIQUE, (ON S'EN EST APERÇUS TROP TARD) C'ÉTAIT UN VRAI ATTRAPE-COUILLON!!

AH, TIENS?

TU T'INTÉRESSES AUX FONDERIES, À PRÉSENT?

C'EST PAS POUR M'INTÉRESSER, C'EST POUR M'OBLIGER À PENSER À RIEN!

C'EST QUOI QUE TU T'ES ACHETÉE COMME REVUE?

"FONDERIE MAGAZINE!"

DÈS QUE L'AVION AURA DÉCOLLÉ, JE ME JETTERAI SUR LES PAGES DE CETTE REVUE ET JE LIRAI COMME UNE MACHINE POUR NE PAS PENSER À CES KILOMÈTRES DE VIDE QUE NOUS AURONS AU-DESSOUS DE NOUS!!

ALORS, TU VERRAS RIEN DU PAYSAGE!

"... ET QUE JE TE LARGUE EN PLEINE SAVANE, ET QUE JE TE FAIS CONSTRUIRE UNE CABANE EN BOUSES DE VACHES, ET QUE JE TE DONNE DES FOURMIS GRILLÉES À MANGER... AH, ON S'EN SOUVIENDRA!!

19

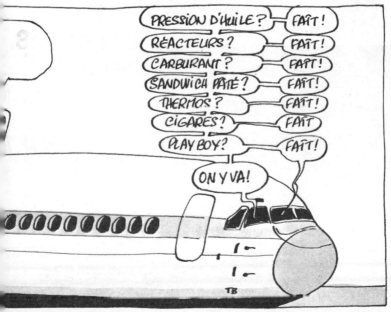

22

23

SI ON ÉTAIT SÛRS QUE C'EST NOTRE CAR QUI EST LA, ON POURRAIT MONTER DEDANS, COMME ÇA, EN PLUS, ON SERAIT ASSIS!

DE TOUTE FAÇON, L'ORGANISATEUR NOUS A DIT DE L'ATTENDRE ICI!

QU'ON SOIT LA OU A DIX MÈTRES, QU'EST-CE QUE ÇA CHANGE?

ÇA CHANGE QUE, COMME C'EST PAS SUR LA NOTICE, VOUS ALLEZ TOUT DÉSORGANISER!

DE TOUTE FAÇON, ON SAIT PAS SI C'EST LE NOTRE!

Y A QU'À DEMANDER A LA DAME A COTÉ DU CAR, ELLE NOUS RENSEIGNERA, ELLE!

PARCE QUE VOUS CONNAISSEZ LA LANGUE?

HEIN...? HEU, NON!

MONSIEUR FINKBEINER, VOUS QUI ÊTES ALSACIEN?

AH, ATTENTION, HEIN, C'EST PAS DU TOUT PAREIL!

24

25

27

29

31

32

33

34

35

36

40

41

42

43

44

45

47

AVEC TOUT CE QUE TU LUI AS DONNÉ, A TOUS LES COUPS, ELLE A DE QUOI S'ACHETER UNE FABRIQUE DE BAS POUR ELLE TOUTE SEULE !

PLUS ?

PENSES-TU !

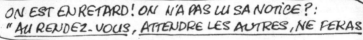

ON EST EN RETARD ! ON N'A PAS LU SA NOTICE ? : " AU RENDEZ-VOUS , ATTENDRE LES AUTRES , NE FERAS

C'EST A DIRE QUE...

ALORS, LE VOYAGE MA FEMME BLOQUA, LA VALISE ACCROCHA , LE BAS FILA, ET DU COUP, EN RETARD ARRIVA !

EXCUSA !

ALORS, ON SE DÉPÊCHE DE MONTER DANS LE CAR !

48

OH, LES FLEMMARDS!
OH, LES FLEMMARDS!
OH, LES FLEMMARDS!

HÉ, D'ABORD, C'EST MÊME PAS POUR ÇA, C'EST LA LIFTIÈRE QUI NOUS A RETAR-DÉS!

ALORS, A VOUS AUSSI ELLE VOUS A FAIT LE COUP DU BAS FILÉ?

LE COUP?

BAS FILÉ?

AVEC MOI, ELLE A ESSAYÉ, MAIS ÇA N'A PAS MARCHÉ!

LES ATTRAPE-COUILLONS, JE LES SENS VENIR A DES KILOMÈTRES!

AVEC MOI AUSSI ELLE A ESSAYÉ, MAIS ÇA N'A PAS MARCHÉ NON PLUS!

MOI AUSSI ÇA N'A PAS MARCHÉ!

C'ÉTAIT UN PEU GROS A AVALER!

UN ENFANT DE TROIS ANS NE S'Y SERAIT PAS LAISSÉ PRENDRE!

MOI NON PLUS!

AVEC MOI NON PLUS, ÇA N'A PAS MARCHÉ!

QUAND JE SUIS RENTRÉ DANS L'AS- CENSEUR, J'AI TOUT DE SUITE VU QUE SON BAS ÉTAIT DÉJÀ FILÉ!

OUI, MAIS, NOUS, C'ÉTAIT POUR DE VRAI!!

ON PEUT M'ÉCOUTER, S'IL VOUS PLAÎT!!

NOUS ALLONS BIENTÔT ARRIVER A NOTRE PRE- MIÈRE ÉTAPE! AUSSI, JE CÈDE LA PAROLE A NOTRE GUIDE POUR NOUS PARLER DU MONASTÈRE DE KJORK!

EH... JE L'AI!!

MONASTÈRE DE KJORK, PAGE 24!
CONSTRUIT AU DOUZIÈME SIÈCLE, LE MONASTÈRE DE KJORK EST L'UN DES FLEURONS DE L'ART ROMANO-BYZANTIN! L'ÉDIFICE, AVEC SON TOIT COMPOSÉ DE HUIT COUPOLES EST UN MODÈLE DU GENRE...

"... MAIS LA PARTIE LA PLUS REMARQUABLE RESTE SANS DOUTE LA FAÇADE SUD, ENTIÈREMENT RECOUVERTE DE FRESQUES ET CONSERVÉE INTACTE MALGRÉ LA RUDESSE DU CLIMAT! OUVERT TOUS LES JOURS DU 1ER MARS AU 31 OCTOBRE! PARKING. RÉDUCTION POUR LES GROUPES.

BEN TIENS, C'EST PAS LE TRUC QU'ON VOIT LÀ-BAS?

ATTENDEZ... AH, SI! EXACTEMENT COMME SUR L'IMAGE!

Monastère de Kjork

Construit au dou-
zième siècle le
monastère de
Kjork est l'un des
fleurons de l'art
romano-byzantin.

L'édifice, avec son
toit composé de
huit co... est
un m...
ge...

À GAUCHE!

QUELLE EMPOTÉE!!

OÙ ÇA?

ICI?

Mais la partie la plus remarquable reste sans doute la façade sud, entièrement recouverte de fresques et conservée intacte malgré le... clim...

FOUS-TOI CARRÉMENT DEVANT LE CRÉPI DE L'ÉGLISE!!

AH!

ICI, ALORS?

OUI!

SINON, SI YA PERSONNE DEVANT, TU PARLES D'UN FILM BARBANT!

56

58

59

64

L'INFLUENCE DU BAROQUE OCCIDENTAL S'Y FAIT SENTIR. LES RICHES ENCADREMENTS DES FENÊTRES, L'OPULENT DÉCOR DES FAÇADES, LA P... ...ONES ET LE RELIEF DES ARTS DÉ... ...OUS LES MONTRENT ASSEZ.

BON SANG!

COMME DANS LE TEMPLE TRADITIONNEL, CHAQUE FAÇADE DE L'ÉTAGE CARRÉ EST PARTAGÉE EN TROIS TRAVÉES, MAIS ...TÉ FAIT SAILLIE.

ARRÊTEZ TOUT!

ON A OUBLIÉ MADAME BIDOCHON!!

HEIN?

QUOI?

ON S'EST ARRÊTÉS DANS LE BOIS ET JE ME SOUVIENS QU'ELLE ÉTAIT DANS LES FOURRÉS, C'EST LÀ QU'ON L'A VUE POUR LA DERNIÈRE FOIS AVEC MONSIEUR FINKBEINER, ENSUITE, ON A DISCUTÉ ET MOI JE NE M'EN SUIS PLUS OCCUPÉ...

MON DIEU ! ELLE, PERDUE AU MILIEU DE CETTE FORÊT ÉTRANGÈRE !!

QUAND ELLE DOIT PRENDRE LE TRAIN TOUTE SEULE, C'EST DÉJÀ TOUT UN PROBLÈME !!

69

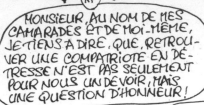

MONSIEUR, AU NOM DE MES CAMARADES ET DE MOI-MÊME, JE TIENS A DIRE, QUE, RETROUVER UNE COMPATRIOTE EN DÉTRESSE N'EST PAS SEULEMENT POUR NOUS UN DEVOIR, MAIS UNE QUESTION D'HONNEUR!

BRAVO

BRAVO

BRAVO

BRAVO

ET MOI, JE VOUDRAIS JUSTE AJOUTER COMBIEN MADAME BIDOCHON N'ÉTAIT PAS, POUR NOUS, QU'UNE ANONYME GAGNANTE DU CONCOURS "RAVIOLI PATZANI", MAIS UNE TRÈS GRANDE AMIE ET UNE SAINTE!!

BRAVO

BRAVO

BRAVO

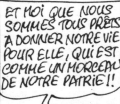

ET MOI QUE NOUS SOMMES TOUS PRÊTS A DONNER NOTRE VIE POUR ELLE, QUI EST COMME UN MORCEAU DE NOTRE PATRIE!!

BRAVO

BRAVO

BRAVO

BON! ALORS, DEMI-TOUR!

71

TU TE SOUVIENS, MAMAN, CE QUI EST ARRIVÉ A CETTE PAUVRE TOURISTE BELGE QUI ÉTAIT DANS NOTRE GROUPE EN AFRIQUE?

HOU LA LA, HORRIBLE!

EXACTEMENT COMME POUR MONSIEUR BIDOCHON, A PART QUE, ELLE, C'EST SON CANICHE QU'ELLE AVAIT PERDU ET QUE C'ÉTAIT PAS DANS UNE FORÊT MAIS DANS UNE SAVANE!

EH BIEN, ELLE N'A RETROUVÉ SON CHIEN QUE TROIS JOURS APRÈS, ENTIÈREMENT DÉVORÉ PAR LES LIONS!

SAUF QU'ICI, C'EST PAS LES LIONS QUI SONT A CRAINDRE MAIS LES LOUPS!!

J'AI LU UN REPORTAGE SUR UNE EXPLORATRICE QUI S'EST FAIT ATTAQUER PAR UNE MEUTE AFFAMÉE, IL N'EN EST RIEN RESTÉ! NETTOYÉE JUSQU'À L'OS!

C'EST COMME POUR NOUS, ON A UN BOIS DERRIÈRE NOTRE MAISON, ON A DÉJA TROIS FEMMES ISOLÉES QUI SE SONT FAIT VIOLER ET ÉGORGER PAR UN SADIQUE À LA TOMBÉE DE LA NUIT!

LA DERNIÈRE QUI A ÉTÉ ÉGORGÉE ON L'A RETROUVÉE À LA CONSIGNE DE LA GARE DE LYON, COUPÉE EN MORCEAUX DANS UNE VALISE QUI... ???

BON SANG!!

LA VALISE!!

HEIN?

C'EST ELLE QUI A LES CLÉS DE LA VALISE! ELLES SONT DANS SON SAC A MAIN! IL FAUT ABSOLUMENT LA RETROUVER!!

73

74

MADAME BIDOCHON!

75

ROBERT!

NON!

T'AS QU'A TE RETENIR!!

AVANT D'ARRIVER A NOTRE HOTEL, J'AIMERAIS VOUS SIGNALER UNE CURIOSITÉ, SUR NOTRE ROUTE, QU'EUTANT QUE FRANÇAIS, IL VOUS INTERESSERA PEUT-ETRE DE VOIR, IL S'AGIT DU MONUMENT "AUX HEROS MORTS PENDANT LA COMMUNE DE 1871"!

QU'EST-CE QUE C'EST COMME GENRE DE MONUMENT?

EH BIEN, PEUT-ÊTRE NOTRE GUIDE PEUT-IL NOUS EN DIRE DEUX MOTS ?

CERTAINEMENT!

EH

JE L'AI!!

"MONUMENT AUX HÉROS MORTS PENDANT LA COMMUNE DE 1871" (PAGE 45)

LA COMMUNE DE PARIS, RÉVOLTÉE CONTRE LA BOURGEOISIE RÉGNANTE DE 1871, ET INSPIRATRICE D'UN GRAND NOMBRE DE RÉFORMES SOCIALES, A TOUJOURS EXER-

-CÉ UNE FORTE IMPRESSION SUR LES PAYS DU BLOC COMMUNISTE. LE MONUMENT AUX HÉROS MORTS PENDANT LA COMMUNE EST DONC UN HOMMAGE AU PEUPLE DE PARIS ET, AU DELÀ, AUX RÉVOLTES DU PEUPLE FRANÇAIS TOUT ENTIER !

UN MONUMENT AU PEUPLE FRANÇAIS TOUT ENTIER!! DANS UN PAYS ÉTRANGER!

JE RETIRE CE QUE J'AI DIT À PROPOS DE LEUR PLAT NATIONAL!

MUTZIG

82

83

MAIS... C'EST DES FRANÇAIS!!

JE REGRETTE, MAIS SI NOUS NE VOULONS PAS TOUT DÉSORGANISER, NOUS DEVONS NOUS EN TENIR À CE QUI EST PRÉVU!

murmures murmures

EN PENSANT QU'UN SEUL NE POUVAIT DISPOSER DU TEMPS DE TOUS LES AUTRES, J'AI CRU REMPLIR MON RÔLE D'ORGANISATEUR, MAIS PEUT-ÊTRE CERTAINS D'ENTRE VOUS CONSIDÈRENT-ILS QUE JE ME SUIS TROMPÉ

Cher ami !
Au nom de tous, je tiens à dire que, depuis notre arrivée, nous n'avons eu qu'à nous louer de la façon dont ce voyage est organisé et que nous le devons à vos compétences à qui, seules, le mérite en revient et à qui je veux rendre ici un vibrant hommage qui vous indiquera combien votre décision, si sagement mûrie EST, et ne sera jamais, NI remise en question, NI même, être l'objet d'une quelconque contestation par l'un d'entre nous !

MAIS FRANCHEMENT, LÀ, JE TROUVE QUE MONSIEUR FINKBEINER A RAISON!

85

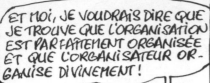

ET MOI, JE VOUDRAIS DIRE QUE JE TROUVE QUE L'ORGANISATION EST PARFAITEMENT ORGANISÉE ET QUE L'ORGANISATEUR ORGANISE DIVINEMENT!

MAIS SI ON S'ARRÊTE PAS J'EN AURAI HONTE POUR MON PAYS TOUTE MA VIE!

J'EN PROFITE POUR REMERCIER LES RAVIOLIS PATZANI ET LEUR ORGANISATEUR POUR CE DÉLICIEUX VOYAGE!

SINON, J'OSERAI PLUS REGARDER UN MONUMENT AUX MORTS EN FACE!

TRÈS BIEN! MAIS JE VOUS DONNE CINQ MINUTES, PAS PLUS!!

C'EST PLUS QU'IL N'EN FAUT POUR UNE MINUTE DE SILENCE!

86

MONUMENT AUX HÉROS MORTS PENDANT LA COMMUNE DE 1871.

La commune de Paris, révoltée contre la bourge [YANKI ?] régnante de 1871, et inspiratrice [DEUÏTCH ?] nd nombre de réformes soc [BRITAIN ?] toujours exercé une fort [ITALIANO ?] sion sur les pays du bloc [ESPANIOLO ?] istes. Le monument aux orts pendant la commun l est donc un hom [QU'EST-CE QU'IL NOUS VEUT, CE CONNARD ?] au peuple de Par pec rançais tout entier. Cette œuvre colossa grandeur de l'homme [AAHH, FRANÇAIS ?] a lutte pour sa dignité.

VOULOIR CHANGER DEVISES ?

PAS CHER !

OUI ?

QU'EST-CE QU'IL VIENT NOUS SALIR NOTRE MONUMENT AVEC SES TRANSACTIONS MALHONNÊTES, CELUI-LÀ ?

C'EST UNE HONTE !

ET, BIEN SÛR, PAS UN FLIC À L'HORIZON !

93

(1): pleure, petite mère, pleure, car dans la steppe to

van se meurt par le froid gelé et les loups rongé...

LE PLAT NATIONAL ET MONSIEUR FINK-BEINER, C'EST COMME MOI ET LEUR TÉLÉ!

GROKIA MOLGANOV I RICHKA...

POURQUOI? C'EST PAS BIEN COMME ÉMISSION?

COMMENT TU VEUX QUE JE LE SACHE?

J'ARRIVE PAS A AVOIR L'IMAGE!!!

KOVALICH ASKAÏA EK UNA VORAÏK

BIEN! JE VOUS DONNE LE PROGRAMME DE LA JOURNÉE!

CE MATIN, NOUS COMMENCERONS PAR VISITER UN MONASTÈRE!

QUI A DIT "ENCORE"?

JE... HEU... EXCUSEZ-MOI, ÇA M'A ÉCHAPPÉ

ENCORE!!

MAiiiiS, VOUS N'AVEZ PAS A VOUS EXCUSER! CHACUN A PARFAITEMENT LE DROIT D'EXPRIMER SON OPINION SUR CE VOYAGE!!

C'ÉTAIT PAS POUR MON OPINION, C'ÉTAIT QUE... HEU... ENFIN... SI VOUS PRÉFÉREZ, DEPUIS QU'ON EST ARRIVÉS, ON VISITE QUE DES MONASTÈRES!

EST-CE QU'ON NE POURRAIT PAS VARIER POUR CHANGER UN PEU?

MAIS, POUR L'INSTANT, NOUS ÉCOUTONS NOTRE GUIDE NOUS PARLER DE LA **VISITE DE CE MATIN !** LE MONASTÈRE DE SAINT-SPACĚK !

EH BIEN...

JE L'AI !!

MONASTÈRE DE St SPACĚK
(PAGE 52)

BÂTI AU XIVᵉ SIÈCLE, LE MONASTÈRE DE SAINT SPACĚK POSSÈDE DES FRESQUES REMARQUABLES, AUX COULEURS GNAGNAGNA ET AU STYLE PATA TIPA TA TA

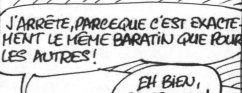

J'ARRÊTE, PARCEQUE C'EST EXACTEMENT LE MÊME BARATIN QUE POUR LES AUTRES !

EH BIEN, ÇA PROMET !

101

oMonastère de saint Spaček.

Bâti au 14ª siècle,
Le monastère de
sa...

ATTENDEZ! ME DÎTES RIEN!
JE VAIS DEVINER LES
YEUX FERMÉS!!

102

CE QU'IL FAUDRAIT, C'EST TROUVER QUELQUE CHOSE DE VRAIMENT ORIGINAL! RIEN QUE POUR MONTRER A L'ORGANISATEUR QUE DES TRUCS INTÉRESSANTS C'EST PAS CE QUI MANQUE!

OUI! MAIS QUOI?

108

114

SANS COMPTER QUE JE SERAI BELLE, TIENS!

MOI, TOUTE SEULE, DANS UNE CHAMBRE ÉTRANGÈRE, AVEC TOI À DES MILLIARDS DE KILOMÈTRES...

MAIS L'AVION NE DÉCOLLE QUE DE MAIN À SEIZE HEURES! ÇA TE LAISSE DE QUOI TE RÉVEILLER, NON!!

MH!

EN PLUS, ON AVAIT DIT QU'ON PROFITERAIT DE LA MATINÉE DE DEMAIN POUR ALLER S'ACHETER UN SOUVENIR À RAPPORTER!!

C'EST PAS UNE PREUVE!

MAIS, RÉFLÉCHIS DEUX SECONDES!!

ALORS, JE VAIS ALLER ACHETER CE SOUVENIR **TOUT** SEUL, JE VAIS ENTRER DANS LA BOUTIQUE **TOUT** SEUL, JE VAIS PAYER **TOUT** SEUL, JE VAIS RESSORTIR **TOUT** SEUL, ET LA, **TOUT** SEUL, DEHORS, JE VAIS TE POSER **TOUT** SEUL UNE QUESTION **TOUT** SEUL, ET TOI, TU NE RÉPONDRAS RIEN PARCEQUE JE SERAI **TOUT** S...

OH, ET PUIS, HEIN, APRÈS TOUT, C'EST TES OIGNONS!!

15 HEURES

SURTOUT, ON RESTE BIEN GROUPÉS POUR NE PAS SE PERDRE DANS L'AÉROPORT!

117

118

120

121

124

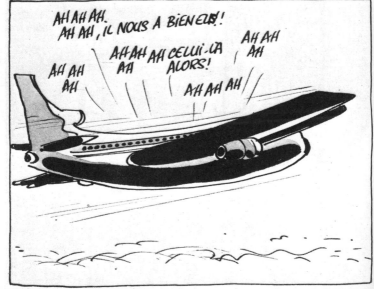

183

Imprimé par Brodard et Taupin à la Flèche
le 4 avril 1996 - 6632N-5
Dépôt légal avril 1996. ISBN 2-277-33183-X
1er dépôt légal dans la collection juillet 1990
Imprimé en Europe (France).

J'ai lu BD / Éditions J'ai lu
84, rue de Grenelle, 75007 Paris
Diffusion France et étranger : Flammarion